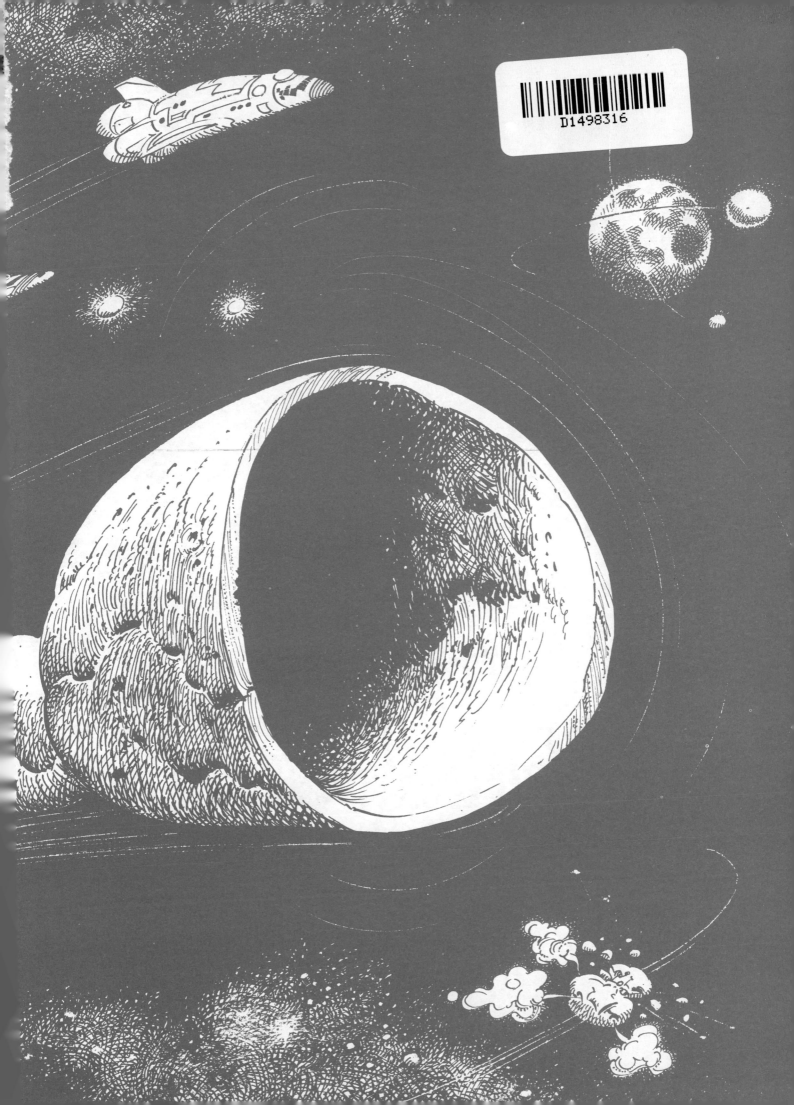

GALA DE GAFFES À GOGO

par Franquin et Jidéhem

LE PRESENT ALBUM NUMEROTE **R¹** CONTIENT LES GAFFES PRECEDEMMENT PARUES DANS CES DEUX ALBUMS PETIT FORMAT

I.S.B.N. 2-8001-0093-1
ISSN 0771-9701

DUPUIS

Panel 1: AVEC CECI, JE VAIS SOIGNER LE MAL PAR LE MAL... ATTENDS, MON GAILLARD...

Panel 2: GONDOLIEER LALALALÂÂÂ

Panel 3: POUÂÂP

Panel 4: ...ET CE SERA COMME ÇA CHAQUE FOIS QUE VOUS CHANTEREZ DES CHANSONS STUPIDES QUI M'EMPÊCHENT DE TRAVAILLER, GASTON!

49A

L'APRÈS-MIDI

49B

Panel: PPHHOUUUAAAAP

Panel: PHOUUPOUUPH — GONDOLIER — LE TROMBONE FACILE — MÉTHODE DE SCHMF

Panel: GASTON, COMBIEN DE TEMPS VOUS FAUDRA-T-IL POUR TERMINER LE TRIAGE DU COURRIER, S'IL VOUS PLAÎT?

MMMMM MBBLLLM MM

Panel: GASTON, VOULEZ-VOUS FAIRE UN GROS EFFORT ET ME RÉPONDRE CLAIREMENT? IMPOSSIBLE DE VOUS COMPRENDRE

Panel: C'EST INIMAGINABLE!!! CE GARÇON EST TROP PARESSEUX POUR ARTICULER NORMALEMENT... — RÉDACTION SPIROU

52A

Panel: CINQ MINUTES

Panel: C'EST ASTUCIEUX, HEIN?... ON NE CROIRAIT PAS QUE C'EST SI LONG, UN TROMBONE A COULISSE DÉPLIÉ... HAHA!...

Panel: ÇA IRA, MAIS IL Y A 20 ANS QUE JE SUIS PLOMBIER...EH BIEN, JAMAIS JE N'AI EU A FAIRE UN BOULOT COMME ÇA... JAMAIS!

52B

55A

EH BEN, ESSAYE UN PEU D'EN FAIRE AUTANT, CHICHE...

55B

SI, SI ! VIENS, FANTASIO ! TU N'AS JAMAIS VU UNE CHOSE PAREILLE..!!

BON

VOILÀ ! UNE CATHÉDRALE ENTIÈREMENT FAITE AVEC DES ALLUMETTES COLLÉES...

IL Y EN A DIX-HUIT-MILLE SIX CENT QUARANTE-SEPT... C'EST PRODIGIEUX, HEIN ?..

OUI

56A

PRODIGIEUSEMENT IDIOT !

COMMENT PEUT-ON PASSER SON PRÉCIEUX TEMPS À DES EXER-CICES AUSSI **VAINS** ?

FANTASIO ! TU N'AURAIS PAS DU FEU ?

56B

REGARDE, FANTASIO! L'APPAREIL TAILLE-CRAYON QUE J'AI ACHETÉ D'OCCASION!...ÇA MARCHE BIEN...

TU VAS VOIR, JE VAIS FAIRE UNE POINTE DU TONNERRE À TOUS TES CRAYONS!

REGARDE... C'EST MAGNIFIQUE! JE CONTINUE?

SI ÇA VOUS AMUSE, GASTON!

ÇA, C'EST CURIEUX! UN CRAYON QUI COULE!

MON STYLO!

ÉVIDEMMENT, SI TU METS TON STYLO AVEC TES CRAYONS...TU N'AS PAS D'ORDRE, VOILÀ CE QU'IL Y A!

AH! VOUS VOILÀ ENFIN, GASTON! J'AI UN MOT À VOUS DIRE...

LE GRAND PATRON SORT D'ICI... IL A CONSTATÉ QUE VOUS N'ÉTIEZ PAS ENCORE ARRIVÉ...IL N'EST PAS CONTENT...

...ÉVIDEMMENT, IL A DEMANDÉ QUI A CASSÉ CETTE VITRE... JE VOUS AVERTIS: IL EST FURIEUX CONTRE VOUS.

...ET QUAND IL A VU VOTRE BUREAU, IL A CRIÉ QU'IL NE VOULAIT PLUS DANS SES LOCAUX DE CETTE SUCCURSALE DU MARCHÉ AUX PUCES!!

CECI, C'ÉTAIT LE BOUQUET!.... IL A HURLÉ QU'IL GASPILLAIT SES SOUS EN VOUS PAYANT POUR VENIR JOUER ICI...

AH! DIS, FANTASIO, EST-CE QU'IL A PARLÉ DE MON AUGMENTATION?

EH BEN !?!

ÉVIDEMMENT, QUAND ON MET DES PUNAISES DANS UNE VIEILLE BOÎTE CASSÉE, ÇA DOIT ARRIVER...

ATTENTION, SI FANTASIO VOIT DES PUNAISES DANS SES SEMELLES, IL EST CAPABLE DE DIRE QUE C'EST DE MA FAUTE...

AH! VOYONS CE COURRIER

QOUUAAH

MAIS ENFIN!! LE TEMPS D'ALLER CHERCHER UNE BOÎTE À CÔTE, ET TU AS DÉJÀ COMMIS UNE MALADRESSE

ATTENTION, FANTASIO, UNE GUÊPE !!

DZZZ

NE BOUGE PAS. ELLE EST SUR TA LAMPE.

LAISSEZ-MOI TRAVAILLER, GASTON.

PANG

JE L'AI !

TCHANC

HHMMBLM HHMBLL!

C'EST DANGEREUX, TU SAIS, LES GUÊPES!

GASTON

CHEZ LE COIFFEUR

SI TU NE M'AVAIS PAS COLLÉ CETTE BROSSE DANS LES CHEVEUX, ON N'AURAIT PAS DÛ ME RASER LA TÊTE

D'ACCORD, C'EST MA FAUTE, MAIS JE NE VEUX PAS VOUS VOIR AVEC CE BONNET DANS LES BUREAUX!

BOLM

ET ÇA, ÇA VA?

QUELLE HORREUR! NON, ÇA NE VA PAS!

VOILÀ! CECI FAIT PLUS HABILLÉ NON?

C'EST MONSTRUEUX

ON NE PORTE PAS DE COUVRE-CHEF DANS UN BUREAU, C'EST DU SAVOIR-VIVRE ÉLÉMENTAIRE!

MAIS IL Y A DES COURANTS D'AIR. ET JE SENS QUE JE M'ENRHUME, MOI!

ATCHAA!

SI! SI! JE VOIS BIEN QUE TU ES RONGÉ DE REMORDS!!

JE PARIE UN MILLION QUE C'EST VOUS QUI AVEZ ÉGARÉ LES DOCUMENTS DE LA CHRONIQUE AUTO!!

LA LISTE DE VOS GAFFES REMPLIRAIT UN BOTTIN, GASTON!

LE VIEUX GAG DU PAPIER DANS LE CHAPEAU! TOUCHANT DE NAÏVETÉ!...

J'AI ÉTÉ UN PEU DUR AVEC LUI, À PROPOS DES DOCUMENTS... JE VAIS FAIRE SEMBLANT D'APPRÉCIER LA FARCE...

AH VOUS M'AVEZ EU, VOUS, AVEC CE PAPIER DANS MON CHAPEAU, PETIT FARCEUR

HIHIH! ÇA, C'EST UNE IDÉE, HEIN!

LES DOCUMENTS DE LA CHRONIQUE AUTO!!!!

NON?

LES MAUVAIS CARACTÈRES NE COMPRENNENT PAS LES FARCES!!

ÇA Y EST! J'AI MIS AU POINT LE NOU_VEAU CARBURANT POUR MA FUSÉE... C'EST UN MÉLANGE SECRET FORMIDABLE!

TCHIC TCHIC TCHIC

LES FUSÉES SONT L'AFFAIRE DES SPÉ_CIALISTES, GASTON...VOS BRICOLAGES NE DONNERONT RIEN...

JE VAIS REMPLIR SON BRIQUET. IL VA AVOIR UNE FLAMME DU TONNERRE, AVEC ÇA...

AVEC SES MÉLANGES POUR FUSÉES...

..IL COMMENCE À ME CASSER LES OREILLES...

TCHIC

BOUM

...DONC, JE DOIS T'APPORTER D'URGENCE AU BUREAU: UN COS_TUME, UNE CHEMISE, UN SINGLET ET UN CALEÇON?

??!?!

...OUI, GEORGES, ELLE EST FINIE! ELLE EST MAGNIFIQUE; D'APRÈS MES CALCULS, ELLE DOIT ATTERRIR DANS TON JARDIN.

DIS, JE PEUX M'INSTALLER À TA FENÊTRE DEUX MINUTES?

TOUT CE QUE VOUS VOULEZ, GASTON, POURVU QUE VOUS NE ME DÉRANGIEZ PAS...

5...4...3...2...1...

AURIEZ-VOUS DU FEU, GASTON? J'AI OUBLIÉ MON BRIQUET...

VWOOUF

JE VOUS DEMANDE: AVEC QUOI M'AVEZ-VOUS DONNÉ DU FEU?...

EUH... EUH...

13

AH ! COMBIEN DE MARINS...

DFFFFT !! JE NE SUPPORTE PAS LA CHALEUR, AUJOURD'HUI.

TU DEVRAIS FAIRE COMME MOI...

PAR CE TEMPS-CI, UNE CRÈME À LA GLACE, ÇA RAFRAÎCHIT... TU NE TE RENDS PAS COMPTE...

?

RHEUUUHH !

85A

ÇA, C'EST IDIOT... MA BONNE CRÈME QUI EST PERDUE...

DANS MON DOS ! C'EST FROID !

TU NE SUPPORTES PAS LA CHALEUR, TU NE SUPPORTES PAS LE FROID... MAIS QU'EST-CE QUE TU SUPPORTES, À LA FIN ?...

ATCHI

OOAT... TCHAOUM !

85B

TU SAIS CE QUE TU AS ?... C'EST UN CHAUD ET FROID...

ÇA MORD !

J'EN AI UN ! ET C'EST UN BEAU ! HIHIHIHIHI !

CRRRIIIC

JE CONFISQUE

87A

TIENS : JE SOUHAITE QU'UN PASSANT VIENNE VOUS TIRER LES OREILLES !

TOI, TU ES ALLERGIQUE À LA PLAISANTERIE !

PÊCHEUR, HEIN ! MOI, C'EST LA BOXE...

REDACTION

KC

GASTON ! ON VIENT DE ME REMETTRE UNE COMMISSION POUR VOUS !

AH ? EH BEN, DONNE...

87B

GASTON, JE NE VEUX PLUS VOIR CES THERMOS, BOUTEILLES, VIEILLES GOURDES MILITAIRES ET AUTRES RÉCIPIENTS !

MAIS C'EST POUR MON CAFÉ...

C'EST LE CAFÉ QUI ME DONNE DU NERF POUR TRAVAILLER...

EH BIEN, LE RÉSULTAT NE JUSTIFIE PAS TOUT CE BRIC-À-BRAC !

HÉ ? QUE TRANSPORTEZ-VOUS LÀ ?

UN COUSSIN PNEUMATIQUE, MA CHAISE EST DURE...

88A

UNE MANIE DE REMPLIR CE BUREAU D'OBJETS LOUFOQUES ! ENFIN ! JE PRÉFÈRE CECI À VOS BIDONS DE CAFÉ...

OUI, CECI JE PEUX M'ASSEOIR DESSUS...

FLOP

...IL Y A UN INCONVÉNIENT, D'ACCORD... MAIS ÇA CONTIENT CINQ LITRES, ET LE CAFÉ RESTE BIEN CHAUD... ASTUCIEUX, HEIN ?

88B

TOUTE L'ÉNERGIE D'UN MACARONI CUIT !

ALLONS, MILLE BOMBES ! UN PEU DE VIGUEUR DANS LES MOUVEMENTS, QUE DIABLE !

?

JE VAIS LE SUIVRE À SON INSU... CE GARÇON A BESOIN D'ÊTRE UN PEU SECOUÉ...

92A

SCHLANG

...VOS GESTES BRUTAUX !...

ÇA ALORS ! TU FONCES DANS UNE VITRE, TÊTE PREMIÈRE...

92B

TOUT LE COURRIER DE LA SEMAINE ÉGARÉ !! VOULEZ-VOUS QUE JE VOUS DISE, GASTON ?...

VOUS N'AVEZ PAS DE TÊTE !!!

PAS DE TÊTE ! LÀ, IL VA UN PEU FORT !...

99A

FANTASIO ! VIENS UNE MINUTE ?...

TU VEUX BIEN M'AIDER À LA RETROUVER, DIS, MA TÊTE ? JE NE LA VOIS PAS...

AAH!

POUR QUELQU'UN QUI N'A PAS DE TÊTE, C'EST BIEN PENSÉ !... QUOI ?

CLAC CLAC CLAC

GASTON, JE VIENS DE RECEVOIR UNE NOTE DE LA DIRECTION QUI DIT CECI...

PCHHH

WÂÂH

100A

C'EST MALIN, ÇA !! TU T'ASSIEDS TOUT JUSTE SUR LE FEU !

SUR LE FEU ?!?!

OUI, C'EST MA DERNIÈRE NOUVEAUTÉ POUR L'HIVER : LE COMBINÉ BUREAU-FEU CONTINU... ON CHARGE ICI ET...

SI TU NE T'AS-SEYAIS PAS N'IMPORTE OÙ, IL NE SERAIT RIEN ARRIVÉ...

100B

REGARDEZ-MOI ÇA !! LE PREMIER VENU PEUT OUVRIR LA BOÎTE...

SUGGESTIONS

... ET LIRE LES SECRETS DU JOURNAL. HEUREUSEMENT, IL Y A GASTON !...

CLAC

...QUI VA CACHER CETTE CLEF DANS UN ENDROIT SÛR...

...PAR EXEMPLE, DANS CE TIROIR...

...QUI FERME À CLEF !

CLIC

VOILÀ ! ENCORE UNE NÉGLIGENCE ! CETTE CLEF EST TOUTE TORDUE !!

C'EST CLAIR : JE SUGGÈRE QU'ON FASSE FAIRE UNE NOUVELLE CLEF...

MOI, MA SPÉCIALITÉ, C'EST L'ORGANISATION...

SUGGESTIONS

ÇA VOLE BIEN, CE MACHIN-LÀ... ATTENTION, UNE... DEUX...

TROIS

ZZZWWWIIIII

... QUANT AUX CONTRATS...

...VOUS VERREZ : NOTRE MAISON EST LA PLUS SÉRIEUSE, LA PLUS HONNÊTE QUE VOUS PUISSIEZ...

EUH...

ON SE PAYE MA TÊTE ICI...

D'ABORD, ENLEVEZ-MOI ÇA !

OUAHAHA SAINT FANTASIO, PRIEZ POUR NOUS !...

GASTON ! VENEZ DONC OBSERVER CETTE PARTIE D'ÉCHECS ! C'EST UN JEU QUI FAIT FONCTIONNER LES MÉNINGES... EXCELLENT POUR VOUS, ÇA !...

ILS SONT JOLIS, LES PETITS CHEVAUX...

HÉ ! SURTOUT NE TOUCHEZ À RIEN, GASTON.

CONCENTREZ-VOUS ET ESSAYEZ DE SUIVRE LE JEU.

VOUS AVEZ VU SE DÉVELOPPER CETTE OFFENSIVE ? ...N'EST-CE PAS PASSIONNANT ?

HMM... VOILÀ QUI EST PRODIGIEUSEMENT INTÉRESSANT...

MILLE MILLIONS DE GRRRMMBLMM !!...

C'EST DES JEUX À DORMIR DEBOUT, ÇA ! ...

J'AI TROUVÉ UN SYSTÈME POUR QU'IL SE TIENNE DROIT

...UNE SIMPLE PETITE EXPÉRIENCE, GASTON.

MAIS ENFIN ?!

APRÈS QUELQUES HEURES, VOUS AUREZ PRIS L'HABITUDE DE VOUS TENIR DROIT... VOTRE SILHOUETTE SERA TRANSFORMÉE !

AH ?

NON ! DÉCIDÉMENT, C'EST UN ÉCHEC... JE VAIS LUI ENLEVER ÇA...

ALORS, CETTE SILHOUETTE ? QU'EST-CE QUE ÇA DONNE ?

AMIDON SURACTIVÉ, PLASTIQUE À PRISE RAPIDE ... J'AI JURÉ QU'IL SE TIENDRAIT DROIT, **IL SE TIENDRA DROIT**

EH BEN!

TU TROUVES ÇA SPIRITUEL?...

VICTOIRE: IL EST DROIT COMME UN I

C'EST COMME DES BUSES DE POÊLE!

GAFFEUR!

JE NE PEUX PLUS BOUGER! JE NE PEUX PLUS TRAVAILLER! JE NE PEUX PAS RETOURNER À LA MAISON!

C'EST TRÈS BIEN! TOUT LE MONDE VOIT CE QUE TU INVENTES POUR ME **TOURMENTER!**

113

...ET QUE JE NE VOUS SURPRENNE PLUS À **DORMIR** SUR VOTRE BUREAU, ALORS QUE LE COURRIER ATTEND!!

JE ME SUIS COUCHÉ TARD...

L'APRÈS-MIDI

GASTON, NOUS NOUS OCCUPERONS DU COURRIER

GASTON! M'ENTENDEZ-VOUS

TIENS! IL N'EST PAS LÀ!

!?!

ZZZZZ

ZZZRZZZZZZ

ROZZZ

6114

GASTON, VOICI QUEL-QUES NOTES DE LA DIRECTION...

ASSIEDS-TOI, POUR LIRE ÇA. SI, SI, IL Y A UNE CHAISE...

HÉÉEP? / PFFFFP! HIHIHIHI!!

WOUAHAHAAHA! / QUEL BON GAG, CETTE CHAISE EN CAOUTCHOUC!!! HOUHOUHA

...JE L'AI CONSTRUITE MOI-MÊME!...HOHO! ÇA, C'EST LA MEILLEURE DE L'ANNÉE!! HOHOHAHA!

HIHIHOUHOUHOUHOULALALA! JE N'EN PEUX PLUS... IL FAUT QUE JE M'ASSEYE!...
117

?

AAAH! VOILÀ ENFIN UNE ATTITUDE NORMALE POUR LE TRAVAIL DE BUREAU, GASTON...

DEPUIS CE MATIN, VOTRE APPLICATION, VOTRE SÉRIEUX, ME FONT PLAISIR... D'AILLEURS, VOTRE CONCENTRATION...
118 A

...VOUS FAIT GRAND BIEN... VOTRE REGARD S'ÉCLAIRE D'UNE LUEUR QUI...

IL EST BIEN, HEIN? AAAH

...C'EST LA MAISON QUI FABRIQUE LES GASTON-LATEX QUI M'EN A OFFERT UN GRANDEUR NATURE...
118 B

VOULEZ-VOUS ANNONCER À MONSIEUR FANTASIO QUE JE SUIS ICI POUR SIGNER LES CONTRATS?...

DITES ! VOUS ÊTES SOURD ...OU IDIOT?... JE VOUS PARLE !

JE VOIS ! UNE FOIS DE PLUS, ON SE MOQUE DE MOI, ICI !!

VOICI VOS CONTRATS ! JE NE METS PLUS LES PIEDS DANS CETTE MAISON DE FOUS !

MAIS !... C'EST LE GASTON-LATEX GÉANT... UNE EFFIGIE D'UN COLLABORATEUR EN CAOUTCHOUC...EUH

PLUS TARD

MAIS JE N'AI RIEN FAIT... JE VIENS D'ARRIVER !

MÊME ABSENT, VOUS FAITES DES GAFFES !

TOUT MOU C'EST ÇA...

...CET AFFREUX GASTON-LATEX-GÉANT TERMINE ICI SA DÉPLORABLE CARRIÈRE

PAR LA FENÊTRE !! UUNNE... DEUX...ET... AÏÏÏÏ !

EUH...N'AYEZ CRAINTE, MADAME... CE N'EST QU'UNE POUPÉE... EN LATEX... C'EST DU CAOUTCHOUC, REGARDEZ...

HE BEN ? QU'EST-CE QUI TE PREND ? AAH

SUIS INNOCENT... AFFREUSE MÉPRISE... ? ASSASSIN ASSASSIN

GRRRMMBL GRMMMMBL GRRM!

OH! C'EST BON! TU NE LE VERRAS PLUS!

IL EST CAPABLE DE ME LE SABOTER!... JE VAIS LE PLIER ICI DEDANS...

OÙ A-T-ON MIS L'ENCRE DE RÉSERVE? PEUT-ÊTRE DANS UN DES GRANDS TIROIRS?

125A

AAH!

ATTENDS UN PEU! LE TEMPS DE RÉCUPÉRER...

TOCTOC TOCTOC

SI! SI! ÇA DOIT ALLER! VOUS AVEZ LA MÊME TAILLE, QUE LE LATEX!

AU SECOURS!

125B

GASTON, AVEZ-VOUS FINI DE DÉCOUPER LES CARTONS QUI SONT ARRIVÉS CE MATIN?

NON, JE COMMENCE...

C'EST POUR QUI, LES BÊTES CORVÉES? POUR GASTOOON!

KWIK KWIK

JE GÂCHE MA BELLE JEUNESSE, DANS CE BUREAU... EH BEN??

CROK

127A

HHMMMMMMPH!

KRR~RWIK

IL Y A DES MACHINS DURS, DANS CE CARTON!... JE VAIS LUI DIRE, MOI, AU FABRICANT!...

...ALLO! ALLO! EH BEN? LE TÉLÉPHONE EST EN PANNE, MAINTENANT! COMMENT VOULEZ-VOUS TRAVAILLER DANS CES CONDITIONS?

127B

DIS, TU VEUX BIEN QUE J'ATTACHE ÇA ICI AVEC UNE PUNAISE ?...

C'EST UNE ANTENNE POUR MA RADIO... ILS DISENT DE LA TENDRE AU MAXIMUM...

PAS DE GAG, HMM, GASTON !...

OH! CE N'EST RIEN QU'UNE PUNAISE DANS LE MUR...

128 A

DZOÏNNG

?

AVEC UNE ANTENNE ACCROCHÉE COMME ÇA, JE VAIS EN ENTENDRE DE LA MUSIQUE...

128 B

MAIS DIS! UN BUREAU MÉTALLIQUE, ÇA PEUT PEUT-ÊTRE SERVIR D'ANTENNE ?...

LAISSEZ-MOI TRA-VAILLER, GASTON!

JE VAIS PINCER LE FIL DANS UN TIROIR... C'EST UNE EXPÉRIENCE

..UNE EXPÉRIENCE SCIENTIFIQUE ...AH! L'AUTRE BOUT AU " POSTE "...

129 A

ON VA ENTENDRE CE QUE ÇA DONNE COMME SON...

TCHAC

OUWÂH! AGÂ-AGÂ-AG

QU'EST-CE QUI LUI PREND?

ÇA ALORS! TU SAIS CE QU'IL Y A? EH BEN, JE ME SUIS TROMPÉ DE FICHE...

129 B

IL Y A DE LA PLACE SUR LE BUREAU DE FANTASIO... JE VAIS REPASSER MON PULL ICI, TANT QU'IL N'Y EST PAS

AH ZUT! IL REVIENT À L'IMPROVISTE!

DRRRIING
131A

ALLO?
DRRING
TCH!!!

HOUOUOU

...TU NE VOIS PAS LA DIFFÉRENCE ENTRE UN FER À REPASSER ET UN TÉLÉPHONE, ET C'EST MOI LE GAFFEUR?!
TENTATION...
131 B

PAF

PLOF PLOF
132 A

DOUMDOUM DOUMDOUM DOUM

OUIOUI... BON... TOUT LE COURRIER EN RETARD SERA CLASSÉ CE SOIR

C'EST LA PREMIÈRE FOIS QUE JE TROUVE UNE UTILISATION INTÉRESSANTE À CE GASTON-LATEX!
132 B

PUISQU'IL NE VEUT PLUS VOIR MON GASTON-LATEX, JE L'EMPORTE A' LA MAISON, NA!

AÏE

♪ POPOM ♪ POPOM ♪

133 A

ÁÁÁÁÁHH

UN MONSTRE A' DEUX TÊTES...ET DES PATTES, DES PATTES !... AGAAA...ET ÇA RAMPAIT

C'EST MALIN! IL NE M'A PAS RECONNU !...

133 B

SPECTACLE PRODIGIEUX : GASTON GAGNANT SON PAIN A' LA SUEUR DE SON FRONT !...

AU FAIT, QUI FAUT-IL PAYER A' LA FIN DU MOIS ? LE VRAI OU LE LATEX ?

...ILS ONT PRATIQUEMENT LE MÊME RENDEMENT TOUS LES DEUX

134 A

..ÇA, JE PEUX LE PROU- VER A' L'INSTANT...

SPIROU, VIENS VOIR...

!

MON NOUVEAU PRESSE-LIVRES...

!

134 B G

31

ET HOP! VOICI CE QUI S'APPELLE DE LA SOU-PLESSE, GASTON...

BEUH! MOI AUSSI, JE SUIS SOUPLE

NON! VOUS ÊTES **MOU**!! CE N'EST PAS LA MÊME CHOSE...

MOU!?

FANTASIO! VIENS VOIR...

!

DIS, TOI QUI ES SI SOUPLE, FAIS- EN AUTANT, CHICHE!

HUMMMPHH!! PHUMMPH

CRAC

NON, NON! ÇA MANQUE DE SOUPLESSE!!

DIS, FANTASIO! TU SAIS QUOI? JE VIENS DE CHEZ MON-ONCLE-DE-LA-CAMPAGNE...

..C'ÉTAIT LA FÊTE ANNUELLE... IL Y AVAIT UNE TOMBOLA ...ET DEVINE QUI A GAGNÉ LE GROS LOT, DIS.!... HEIN? HEIN?... **C'EST MOI!**

C'EST BIEN, ÇA, GASTON...

SEULEMENT...CHEZ MOI, IL N'Y A PAS DE PLACE...JE PEUX LE GARDER DANS MON BUREAU, LE GROS LOT, DIS?...

GRR...

OÙ VOUS VOUDREZ, J'AI BEAUCOUP DE TRAVAIL, ET VOUS ME CASSEZ LES OREILLES AVEC VOTRE BIBELOT!!

BON, JE LA PRENDS DANS MON BUREAU...

ÇA VA, VOUS AUTRES, VOUS POUVEZ LA FAIRE MONTER...

?

UNE GAFFE! UNE GAFFE DE TAILLE! ET C'EST FANTASIO QUI VIENT DE LA COMMETTRE!...

Inouï ! Il y a UNE VACHE DANS LES BUREAUX de la Rédaction !

MEUHH

ENTENDRE ÇA ICI !!

...ÉVIDEMMENT, UNE VACHE, ÇA FAIT "MEUH", QU'EST-CE QUE TU VEUX QU'ELLE FASSE ?

EH BIEN, NOUS ALLONS SAVOIR CE QUE MONSIEUR DUPUIS VA DIRE EN APPRENANT QU'UNE VACHE FAIT "MEUH", DANS SES BUREAUX ! IL DOIT TÉLÉPHONER D'UN INSTANT À L'AUTRE...

MEUHH?

SNIF

...ET JE VAIS LUI RACONTER VOTRE SENSATIONNEL EXPLOIT, MOI !

DRRIIING

LE VOILÀ ! NOUS VERRONS SI CETTE VACHE VA FAIRE MEUH LONGTEMPS !...

DDRRRIIIIING

VOILÀ **DIX JOURS** QUE VOUS ME PROMETTEZ DE VENIR DÉMÉNAGER CET ANIMAL !!

EN ATTENDANT, JE NE VEUX PLUS VOIR **ÇA !**

SCRATCH SCRATCH

SÉPARONS BIEN LES ACTIVITÉS DE LA MAISON ; D'UN CÔTÉ, LE BUREAU, DE L'AUTRE **L'ÉTABLE !**

J'EN AI PLEIN LE DOS, À LA FIN....

SCRATCH SCRATCH

BROUUMM

EH BEN ? QU'AS-TU FAIT À MA VACHE ? ELLE EST TOUT EFFRAYÉE !

...ET PUIS C'EST DANGEREUX: ON A VU SOUVENT DES VACHES DEVENIR FÉROCES!

BEUH!

MEUH

JE VAIS LUI MONTRER QU'UNE VACHE, CE N'EST PAS UN TAUREAU...

TU VOIS COMME C'EST PLACIDE, UNE VACHE... IL N'Y A PAS DE DANGER...

?

OLLÉ!

MAIS IL COMMENCE À M'ÉNERVER, CE GARS-LÀ!

BANG

DIS! TU AS VU COMME JE L'AI ÉVITÉE ??!/ ZOUUU! JE SERAIS UN BON TORÉADOR...

MEUH

BONNE IDÉE, NON ? ELLE S'ENNUYAIT, DANS CE BUREAU, METS-TOI À SA PLACE !...

AH! UNE BONNE PIPE ...PFFP... POUR OUBLIER NOS SOUCIS...

HMM

CHA VICHIE L'AIR QUE RECHPIRE LA BÊTE ...

NON, MAIS! NON, MAIS! QU'EST-CE QUE C'EST QUE CE GARS-LÀ'?!

NE DIS RIEN... C'EST L'EXPERT QUI VIENT POUR LA SANTÉ DE LA VACHE

JE VAIS M'ABSTRAIRE DANS LE TRAVAIL!

TCHIC TCHIC TCHIC CLING

TRÈS MAUVAIS, CHE BRUIT, POUR LE CHYSTÈME NERVEUX DE L'ANIMAL...

... D'AILLEURS, FAUT DE L'ECHPACHE VITAL POUR CHETTE VACHE...

TCHIC TCHICTCHIC CLING TCHICTCHIC

LA VACHE qui RIT

...TRÈS BON POUR L'ANIMAL, CHA! DANS LA NATURE, IL Y A BEAU- COUP DE VERT PARCHE QUE CHA CALME ET QUE CH'EST BON POUR LES NERFS ...

?

BOM BOM BOM

...ARRANGEZ-VOUS, MILLE TONNERRES, POUR QUE CET ANIMAL SE TAISE PENDANT CETTE TRÈS IMPORTANTE VISITE !!

ON EST TOUT LE TEMPS DÉRANGÉ, DANS CES BUREAUX... ?

...UNE DERNIÈRE CONDITION, AVANT QUE JE SIGNE CES CONTRATS : JE TIENS À CE QUE NOS PROJETS SOIENT TENUS SECRETS...

AH ! POUR ÇA, SOYEZ CERTAIN...

...QU'AUX ÉDITIONS DUPUIS, NOUS AURONS TOUS LA BOUCHE COUSUE !...

C'EST LA DERNIÈRE FOIS QU'ON S'EST MOQUÉ DE MOI, DANS CET ASILE D'ALIÉNÉS ! ???

...MAIS ÉCOUTE !...ELLE EST SUBTILE, TU SAIS...IL SUFFIT DE LA PERDRE DE VUE DEUX SECONDES, ET... ?

Et ce qui devait arriver arriva : Monsieur Dupuis, éditeur de Spirou, ouvrant un jour la porte du bureau de Gaston, tomba nez à mufle avec l'animal qui s'y trouvait — je veux parler de la vache — et le coupable fut renvoyé séance tenante. Cet important incident devait être raconté à ceux qui s'intéressent à la biographie de Gaston ; pour ceux qui s'intéressent plutôt à la biographie de la vache, disons qu'elle fut mise en loterie une seconde fois et gagnée par un lecteur du journal de Spirou ; elle fut donc renvoyée sur le champ, mais plus tard.

Emus par le sort de l'exilé, des milliers de lecteurs du journal de Spirou écrivirent à Monsieur Dupuis, qui voulut bien reprendre Lagaffe dans ses bureaux, « à condition qu'il s'améliore ». Les principales étapes de cette « amélioration » vous sont racontées en long et en large dans la suite de cet album.

TIENS ; QUELQU'UN A PERDU UNE PHOTO, ICI... MAIS... QUE PEUT-ELLE BIEN REPRÉSENTER ? ...

C'EST PROBABLEMENT UNE PHOTO DESTINÉE À L'UN DE CES CONCOURS-DEVINETTES... ESSAYONS !

C'EST TROP PÂLE POUR ÊTRE UNE NOIX DE COCO... IL Y A DES TROUS...

AH ? UNE BILLE DE BOWLING ? ...NON, JE DISTINGUE COMME DES ANSES... C'EST UN POT !

...A MOINS QUE ? OUI, UN GROS FRUIT OU UN LÉGUME... J'Y SUIS ! C'EST UNE POMME DE TERRE EN GROS PLAN !

CHIC ! TU L'AS RETROUVÉE !... DONNE, C'EST MA NOUVELLE PHOTO DE CARTE D'IDENTITÉ... JE L'AI FAITE MOI-MÊME...

...ELLE EST UN PEU FLOUE... MAIS LE PRINCIPAL, C'EST QU'ON ME RECONNAISSE, NON ?

C'EST ÉVIDENT !

!! RÔÔÔ PFSCHUU!! RÔÔ PFSCHU!!! RÔÔÔ

GASTON, PRESQUE TOUS LES LECTEURS QUI ONT ÉCRIT POUR VOUS FAIRE RÉENGAGER ONT SOLENNELLEMENT PROMIS À MONSIEUR CHARLES DUPUIS QUE VOUS... FERIEZ DES PROGRÈS...

HMM ?

..OR, À CENT MÈTRES À LA RONDE ON VOUS ENTEND RONFLER JE N'APPELLE PAS ÇA UN PROGRÈS...

CENT MÈTRES BEUH...

LE LENDEMAIN

RÔÔÔÔ PFSCHUU!!! RÔÔÔ PFSCH!!!

...C'EST LA MACHINE-À-NE-PLUS-ENTENDRE-RONFLER ! MATELASSÉE ET ENTIÈREMENT INSONORISÉE EN MOUSSE DE LATEX... IL Y A DES TROUS POUR RESPIRER... ALORS, HMM ? HMM ?

ÇA TE FERAIT MAL, HEIN, D'AVOUER QUE C'EST UN PROGRÈS !

UNE TROUVAILLE CETTE BOÎTE INSONORE! QUAND IL DORT, JE NE M'EN APERÇOIS PLUS!...

GASTON! C'EN EST ASSEZ! FINIS LES PETITS SOMMES AU BUREAU, MON GARÇON! DEBOUT, LÀ-DEDANS!!

...LE COURRIER VOUS ATTEND! VOUS M'ENTENDEZ? LE COUR-RIER! HÉ!

147A

MAIS, NOM DE NOM! Y AURA-T-IL MOYEN DE LE RÉVEILLER À LA FIN?!
BOM

COUCOU! JE T'AI EU, HMM!.... HIHIHI! C'EST LE LATEX-GÉANT! JE L'AI RAPPORTÉ!
HAHAHA!!

ÇA, C'EST DE LA MISE EN BOÎTE! RENTREZ CHEZ VOUS, GASTON. JE CONSTATE QU'IL EST L'HEURE...
C'EST MALIN
147B

...DIRE QU'ILS AVAIENT MIS LE GASTOMOBILE AU GRENIER!! UNE INVENTION SI FORMIDABLE!

DERNIÈRE TENTATIVE: À LA PREMIÈRE PLAISANTERIE STUPIDE JE DESCENDS AUSSI VITE QUE JE SUIS REMONTÉ!...

BOUF
MAIS ENFIN!
148A

AÏE

ET POUR ÊTRE CERTAIN DE NE JAMAIS SIGNER VOS CONTRATS, JE LES AI FAIT NOYER DANS MON PLÂTRE!!
148B

VOILÀ ! LE DERNIER EST PARTI...

QUE FAITES-VOUS, GASTON ?

C'EST DES BALLONS AVEC UNE PUBLICITÉ POUR LE JOURNAL. J'EN AI ENVOYÉ CINQUANTE ! ON VERRA SI LES GAGNANTS SE MONTRERONT...

AH ? PARCE QUE C'EST UN CONCOURS ? MAIS, DITES DONC, QU'AVEZ-VOUS ÉCRIT ?...

J'AI MIS - TIENS-TOI BIEN: "CELUI QUI RAPPORTERA CETTE CARTE AU "JOURNAL DE SPIROU" RECEVRA UNE AUTOMOBILE"." - J'ENTENDS D'ICI LE BOUM QUE ÇA VA FAIRE !

BOUM

... MAIS SI, MAIS SI ! IL DOIT ÊTRE POSSIBLE DE RETROUVER CINQUANTE BALLONS ROUGES ....

149

AH ? AH ? IL Y A UNE SURPRISE AUJOURD'HUI !...TU CHERCHES ?

?

PAR LÀ, TU GÈLES

BRRRR ! COMME C'EST FROID !

?

AH ? AH ? ÇA SE RÉ-CHAUFFE ! HIHIII ! !

150A

ÇA BRÛLE ! ÇA BRÛLE !

AOUW

ENFIN ! JE TE DIS : "ÇA BRÛLE ! ! C'EST UN RADIATEUR ÉLECTRIQUE QUE J'AI ACHETÉ D'OCCASION POUR QUE TU AIES LES PIEDS AU CHAUD EN TRAVAILLANT...ÉVIDEMMENT SI ON PREND ÇA EN MAIN !...

150 B P/2

41

C'EST POUR QUI, LES BÊTES CORVÉES ? POUR GASTOOONN...

ET ÇA N'A L'AIR DE RIEN, MAIS C'EST LOURD CE TRUC-LÀ ! PFFF...

LISEZ SPIR

LISEZ SPIROU

TIENS, C'EST LE GROS QUI VIENT TOUJOURS SIGNER DES CONTRATS

LISEZ SPIROU

153 A

TIENS ! C'EST CET GRRMMBBLLIDIOT LE PLUS GRMBLSTUPIDE DE CES GRMBLBUREAUX

HÉ !

...TOUT JUSTE EN DESSOUS DU SIGNE, HEIN ! ON SE MOQUE DE LA POLICE, HMM ?...Z'ALLEZ VOIR, ÇA ... PAPIERS !

!

"...VOUS DITES QU'UN FOU VOUS A FAIT AVALER 28 FEUILLES DE PAPIER EN CRIANT : "CETTE FOIS LES CONTRATS SONT PASSÉS !..." ! ??

153 B

HEP ? ZUT !

IL FALLAIT BIEN QUE CETTE FEUILLE ALLÂT SE NICHER SOUS AAIIIII

GASTON ! J'AVAIS DIT QUE TOUS VOS CACTUS DEVAIENT DISPARAÎTRE DES BUREAUX,

EH BEN, ILS ONT DISPARU...

154 A

C'EST FAUX. VOUS EN AVEZ CACHÉ UN SOUS L'ARMOIRE ! JE L'AI SENTI !

MAIS ENFIN ! CE N'EST PAS VRAI.

ALORS, IL Y EST VENU TOUT SEUL ?! VOUS AVEZ INVENTÉ LE CACTUS QUI SE DÉPLACE PAR SES PROPRES MOYENS ?!

?!

AH BON ! J'AI COMPRIS, MOI ! C'EST KISSIFROTT, MON HÉRISSON...JE L'AI TROUVÉ À LA CAMPAGNE ...IL EST BIEN, HEIN ?...

154 B

EH BEN ? IL M'ENFERME À CLEF, MAINTENANT ?!

CLIC CLAC

VOILÀ, MONSIEUR DE MESMAEKER : NOUS POUVONS REPRENDRE LA CONVERSATION SANS PLUS CRAINDRE LES GÊNEURS...

VOUS M'EN VOYEZ RAVI ! CAR JE VOUS AVOUE QUE MA PATIENCE AVAIT ATTEINT SA DERNIÈRE LIMITE...

...MAIS PUISQUE VOUS M'ASSUREZ QUE LES INCIDENTS DONT JE FUS VICTIME RÉSULTÈRENT D'UNE SÉRIE DE HASARDS MALENCONTREUX, JE PUIS DONC, SOLENNELLEMENT...

156A

?

...SORTIR CES TROP FAMEUX CONTRATS !

BRAVO ! VOICI ENFIN LA SOLUTION D'UN PROBLÈME ÉPINEUX !

?

C'EST LE MOT

OUAA

MMH ! MBMMH !

TU CROIS QU'ON TE COMPREND QUAND TU PARLES LA BOUCHE PLEINE ?!

155B

...NOUS AVONS CHERCHÉ PENDANT DEUX HEURES : LE TEXTE DE LA CHRONIQUE AUTO EST INTROUVABLE !

DIS, FANTASIO ! TU VAS VOIR COMME LA NATURE EST BIEN FAITE !...

ÉCOUTE ÇA : LES HÉRISSONS...

NON, NOUS AVONS FOUILLÉ TOUTES LES ARMOIRES... CE TEXTE N'Y EST PAS.

EH BIEN, QUOI, QUOI ? LES HÉRISSONS, QUOI ?

156A

EH BEN, QUAND ILS VEULENT AVOIR CHAUD, ILS SE ROULENT DANS LES FEUILLES MORTES POUR SE LES PIQUER SUR LE DOS ! INTELLIGENT, HEIN !

TRÈS ! MAIS CE N'EST PAS ÇA QUI NOUS RENDRA LE TEXTE QUE NOUS CHERCHONS !

C'EST ÉTONNANT, CES PETITES BÊTES !

LE TEXTE !!

IL Y A PLEIN DE PETITS TROUS MAINTENANT DANS CES FEUILLES ✗#8-6 !!

VIENS KISSIFROTT ! FAUT PAS RESTER ICI QUAND FANTASIO SE MET EN BOULE...

?

156B

J'AI COMPRIS!

158 A

SPIROU, J'AI DÉCOUVERT POURQUOI LA NOUVELLE MONTRE DE GASTON NE FONCTIONNE PAS...

AH? TU FAIS DE L'HORLOGERIE À PRÉSENT?

NON, C'EST PAR DÉDUCTION... TU VAS COMPRENDRE...

?

C'EST UNE MONTRE AUTOMATIQUE... OR CE GARS-LÀ NE FAIT **PAS ASSEZ DE MOUVEMENTS** POUR QU'ELLE SE REMONTE!

NON?!

BEUHH?

158 B

GASTON! CET **EXPRES** QUE VOUS DEVIEZ ENVOYER IL Y A **HUIT JOURS!** VOUS N'ÊTES QU'UN...

JE SUIS EN TRAIN D'ENGUIRLANDER LE GASTON-LATEX!!!

MILLE FOIS J'AURAI CONFONDU CES DEUX MONSTRES JUMEAUX!!!

?!

159 A

JE VOIS! POUR NE PAS ENTENDRE SES VÉRITÉS, IL SE FAIT PASSER POUR LE LATEX! ATTENDS!!

IMPOSSIBLE DE TROUVER GASTON... MAIS POUR QU'IL VOIE CE PAPIER, JE VAIS...

?

..LE FIXER À L'AIDE D'UNE GRANDE PUNAISE SUR LE GROS NEZ EN **LATEX** DE CE **PANTIN**

NON

INCAPABLE! ET MALHONNÊTE AVEC ÇA TRICHEUR! FALSIFICATEUR!

OUI... OUI... OUI...

159 B

LUNDI

? J'AI RÉPARÉ LE CANARD DE MON PETIT COUSIN... IL ÉTAIT PERCÉ...

MARDI

NON ?!.. IL A DÉJÀ !? ABÎMÉ LE CANARD !?

OUI...UN PETIT TROU...

MERCREDI

NE ME DITES PAS QUE VOUS AVEZ UNE FOIS DE PLUS RÉPARÉ CE CANARD !??

SI... IL S'AMUSE BEAUCOUP AVEC ÇA...

163A

JEUDI

ENCORE!

OUI...C'EST FRAGILE, CE CANARD...

VENDREDI

DITES DONC ! VOUS APPORTEZ DES ARMES AU BUREAU, À PRÉSENT ?

C'EST LA CARABINE À PLOMBS DE MON PETIT COUSIN...JE LUI AI PROMIS DE LA GRAISSER...

IL L'EMPLOIE TOUS LES JOURS...IL ADORE JOUER À LA CHASSE AUX CANARDS

163B

EH BEN, J'AURAIS CRU QU'IL PLEUVRAIT...

OÙ SONT LES DOCUMENTS QUE VOUS DEVEZ ME RAPPORTER AUJOURD'HUI ?

OÙ? LES? AH !...EUH...

MAIS ENFIN ??... JE LES AI PRIS CE MATIN...

FAITES UN EFFORT,.!! MON VIEUX..!

167A

...J'AI DÛ LES DÉPOSER QUELQUE PART...

RETOURNEZ LES CHERCHER

ÇA ME REVIENDRA TOUT À COUP...

167B

SCHLONK

NE VOUS LES MORDEZ PLUS !

Vous savez à quel point il est douloureux de se mordre les joues en mangeant...

grâce à la nouvelle invention due à Gaston Lagaffe :

LE MASTIGASTON

- Ecarte les joues grâce à deux ventouses réglables en hauteur, qui s'adaptent à toutes les mâchoires.

- Il suffit de mâcher au moment où les joues sont écartées.

- Quatre vitesses synchronisées : plus vous êtes pressé, plus vite vous mangez ! Un point mort permet de converser avec son voisin de table.

- Fonctionne sur 220 ou 110 volts (avec un transformateur en supplément).

- Présentation luxueuse ; bois laqué — trois couches — à la main. Ne dépare pas les tables les plus élégantes.

- Pour le voyage, les vacances, le camping, demandez le modèle portatif. Fonctionne sur 27 piles de 2,5 volts. On peut faire deux repas de longueur normale sans changer les piles !

Demandez le prospectus gratuit du MASTIGASTON dans tous les magasins d'appareils électro-ménagers !

COMME JE LES CONNAIS, LES SOURIS ONT CERTAINEMENT ADOPTÉ CE TROU... MAIS GASTON LEUR RÉSERVE UN TOUR À SA FAÇON...

... JE VAIS NOYER LEURS GALERIES, MOI, HÉHÉHÉ!...

GLOU GLOU GLOU!

ÇA DOIT ÊTRE LA PAGAILLE CHEZ LES SOURIS...

ILS VONT ÊTRE SIGNÉS, NOS CONTRATS!! ET POUR LA CIRCONSTANCE, J'AI PRÉPARÉ MON TOUT NOUVEAU STYLO...

VOUS N'AVEZ PAS PRÉPARÉ UN DE VOS GAGS, HMMM?

FORMIDABLE, CE STYLO! DANS LA PUBLICITÉ, ON AFFIRME QU'IL PEUT ÉCRIRE SOUS L'EAU!

STUPIDE! VOUS ÉCRIVEZ SOUVENT SOUS L'EAU, VOUS? MOI, JAMAIS...

VOS CONTRATS SONT À L'EAU!

ÇA VA LEUR FAIRE DU BIEN! AU FOND, LES CHEVEUX, C'EST COMME DES PLANTES...

?

... JE FAIS UNE EXPÉRIENCE... C'EST LE PRODUIT QUE MA TANTE HORTENSE EMPLOIE POUR FAIRE POUSSER SON GAZON...

IDÉE

HEUREUSEMENT, IL A LE SOMMEIL PROFOND...

GASTON! JE PENSAIS BIEN QUE CETTE FRICTION ÉTAIT DANGEREUSE! ALLEZ DONC VOUS REGARDER DANS LA GLACE DU VESTIAIRE!

BEUH?

EH BEN? QUI FAUT-IL CONSULTER? UN COIFFEUR OU UN JARDINIER?

ÇA ALORS

EN ATTENDANT ALLEZ CHERCHER UN RÂTEAU MON VIEUX ET PEIGNEZ-VOUS

MAIS !...MAIS !
IL A **MANGÉ**
SUR MON BUREAU
香#茶!!

AVEC TOUT LE TRAVAIL
QUE J'AI, MON BUREAU
EST ENCOMBRÉ, ALORS...

DÉBARRASSEZ

PRATIQUE, CETTE
PORTE ! ON PEUT Y
DIRE CE
QU'ON
VEUT...

GAW

EH BEN ? QU'EST-CE QUE
TU AS ? TU ES TOUT PÂLE...

NE PLUS LE CONTRARIER !
C'EST ÇA ! NE PLUS LE
CONTRARIER
...!

181
PTILU

GASTON, N'UTILISEZ PAS
LE LAVABO DU VESTIAIRE.
IL EST HORS D'USAGE...

BEUH ?

HORS D'USAGE ?
ON VA VOIR ÇA...

BAH ! C'EST SEULEMENT
LE CAOUTCHOUC DU ROBINET
QUI EST TROUÉ !...

...ET PAS UN DE CES GÉNIES
NE PENSERAIT À EN PRENDRE
UN NOUVEAU DANS LA RÉSERVE

PAS PLUS DIFFICILE QUE
ÇA !...C'EST INOUÏ...

...C'EST MOI QUI FAIS
TOUT, DANS CETTE
MAISON !

...SANS GASTON, ILS SERAIENT
VITE LE BEC DANS L'EAU, ICI !

PLITCH
PLATCH

182
ZYG

53

C'EST IDIOT, JE COMMENCE A M'HABI- TUER, MOI, A CETTE PORTE SYSTÈME GASTON...

BANG

APRÈS CE COUP-LA, UNE SEULE CHOSE A FAIRE ... JE VAIS REPLACER LES CHARNIÈRES DE CETTE PORTE, MINE DE RIEN...

VITE ! LE GÉNIAL INVENTEUR EST ICI. JE NE RISQUE PLUS DE RECE- VOIR CETTE PORTE...

...SUR LA FIGURE...

PANG

...OUI, MAIS SI TU NE SAIS PLUS TE SERVIR D'UNE PORTE NORMALE.

BON ! IL EST L'HEURE... MOI, JE M'EN VAIS... 'SOIR !...

BONSOIR, GASTON !

KWIIIIIGZZZ
KWIIIIIGZZ

TIENS ? ON SONNE EN BAS...

JE NE VOUS EN- TENDS PAS BIEN ! ...QUI ?... PARLEZ CLAIREMENT... QUE ?...

MOMMOHÖ MMMMÖ, MOM- MON... MM... MO- MMMOMO MO MMMOM...

COMPRENDS PAS UN MOT !! CE PARLOPHONE DE QUINCAIL- LERIE EST DÉTRAQUÉ, MILLE MILLIONS !

MOMMÖ MMMMO! MMOM MÖ?

JE PEUX ME TAPER LES SIX ÉTAGES ! JE DIRAI DEUX MOTS A L'INSTAL- LATEUR DE CETTE IMITATION DE PARLOPHONE ! GRMMBLL...

MMM, MM MMÖ ! MM MH HMMM MÖÖMMH HMÖ MHM MÖUM HOMMH, MU MOMMH...

JE PRENDS LA PEINE DE TE DIRE DE BIENTÔT COU- VRIR PARCE QU'IL GÈLE, ET C'EST COMME ÇA QUE TU ME REMERCIES ?!

POURQUOI S'EST-ELLE ÉTEINTE, CETTE LAMPE ?

DIS, C'EST MARRANT... TU VOIS CE PAPIER À DESSIN ?...

...EH BEN, QUAND JE LE SECOUE, ÇA FAIT LE BRUIT D'UN ORAGE !...

UN RIEN L'AMUSE !

ÉCOUTE ÇA : C'EST UN ORAGE DU TONNERRE DE ZEUS !

MOI, JE FAIS LE VENT DANS LES ARBRES !

...MAIS POUR LES ÉCLAIRS, COMMENT J'AI FAIT, DIS ? COMMENT J'AI FAIT ?

...UN NOUVEAU MÉLANGE INSECTICIDE DE MA COMPOSITION ! SUPERPUISSANT...

AH OUI ?

.. QUI ENVOIE AU TAPIS TOUTES CES SALES PETITES BESTIOLES...

BRAVO...

...REGARDE, ON POMPE UN SEUL COUP COMME CECI... ET QUAND L'INSECTE RESPIRE ÇA...

JE VOIS

HIIIIIIIII VLOM CRAC

ET COMMENT J'VAIS LIVRER MON PAIN, HEIN ?!... C'EST AVEC CE CHEVAL QUE JE FAIS MON BEURRE, MOI, MONSIEUR !!

AH ? ET IL EST BON ?

HÉ BEN, IL EN MET DU TEMPS, CE VÉTÉRINAIRE ! LES GENS AURAIENT LE TEMPS DE MOURIR VINGT FOIS...

DIS, JE SUIS EMBÊTÉ... TU SAIS, LES LETTRES EN RELIEF DU MOT "SPIROU" POUR LA PUBLICITÉ...

OUI, HÉ BIEN ?

...J'ESPÈRE QUE VOUS LES AVEZ RAN- GÉES EN LIEU SÛR, COMME JE L'AI DIT ?...

OUI MAIS... EUH

IL NE LEUR EST RIEN ARRIVÉ, NON ?...

NON, MAIS...

...JE LES AI TROP BIEN RANGÉES...

?

...JE NE RETROUVE QUE LE S ET LE O...IMPOSSIBLE DE REMETTRE LA MAIN SUR LE P, NI SUR LE I, NI SUR LE R, NI SUR LE U...

FANTASIO, RESTE CALME, CALME, CALME ...

SO

FOG

...CE GENRE DE PHOTOGRAPHIE EST UNE LONGUE PATIENCE. ...AH ! JE CROIS QU'ELLE A ENFIN VU MON SUCRE...

JE VAIS FAIRE DE CETTE MOUCHE UN GROS PLAN SAISISSANT DE VIE...

JE L'AI !

JE L'AI !

PFFFD

CLIC

GRRR

HÉ BEN, DIS, CELLE-LÀ, VOILÀ DEUX JOURS QUE JE LA SUIS À LA PISTE !...

BOUM BOUM BOUM BOUM

LE LENDEMAIN...

QUELLE PHOTO ! C'EST TELLEMENT BIEN LA MOUE DE LA MOUCHE MOURANTE !

IL Y A LES MILLE FACETTES DE L'ANGOISSE, DANS CES YEUX-LÀ'...

POUSSER SUR LE BOUTON AU BON MOMENT, TOUT EST LÀ...

C'EST ÇA, OUI...

207

59

spirou

KHENA et le SCRAMEUSTACHE
gos

1. L'Héritier de l'Inca
2. Le Magicien de la Grande Ourse
3. Le Continent des deux Lunes
4. Le Totem de l'Espace

les KROSTONS
dellège

1. Balade pour un Kroston

LAMPIL
lambil·cauvin

1. Pauvre Lampil

LUCKY LUKE
morris

1. La Mine d'Or de Dick Digger
2. Rodéo
3. Arizona
4. Sous le Ciel de l'Ouest
5. Lucky Luke contre Pat Poker
6. Hors-la-Loi
7. L'Elixir du Docteur Doxey
8. Lucky Luke contre Phil Defer
9. Des Rails sur la Prairie
10. Alerte aux Pieds Bleus
11. Lucky Luke contre Joss Jamon
12. Les Cousins Dalton
13. Le Juge
14. Ruée sur l'Oklahoma
15. L'Evasion des Dalton
16. En remontant le Mississippi
17. Sur la Piste des Dalton
18. A l'Ombre des Derricks
19. Les Rivaux de Painful-Gulch
20. Billy The Kid
21. Les Collines noires
22. Les Dalton dans le Blizzard
23. Les Dalton courent toujours
24. La Caravane
25. La Ville Fantôme
26. Les Dalton se rachètent
27. Le 20e de Cavalerie
28. L'Escorte
29. Des Barbelés sur la Prairie
30. Calamity Jane
31. Tortillas pour les Dalton

MARC LEBUT
francis·tillieux

7. La Ford T en Vadrouille
8. Ford T antipollution
9. La Ford T en vacances
10. Gags en Ford T
11. La Ford T énergique

NATACHA
walthéry

1. Natacha, Hôtesse de l'Air
2. Natacha et le Maharadjah
3. La Mémoire de Métal
4. Un Trône pour Natacha
5. Natacha, Double Vol

PAUL FORAN
gil·montero

1. Chantage à la Terre
2. L'Ombre du Gorille

les PETITS HOMMES
seron·hao

1. L'Exode
2. Des Petits Hommes au Brontoxique
3. Les Guerriers du Passé
4. Le Lac de l'Auto
5. L'Œil du Cyclope

POUSSY
peyo

1. Ça, c'est Poussy
2. Faut pas Poussy
3. Poussy Poussa

SAMMY
berck·cauvin

1. Bons Vieux pour les Gorilles
   et Robots pour les Gorilles
2. Rhum Row
3. El Presidente
4. Les Gorilles marquent des Poings
   et Gorilles et Spaghetti
5. Le Gorille à huit Pattes
6. Les Gorilles font les Fous
7. Les Gorilles au Pensionnat
8. Le Roi Dollar

les SCHTROUMPFS
peyo

1. Les Schtroumpfs Noirs
2. Le Schtroumpfissime
3. La Schtroumpfette
4. L'Œuf et les Schtroumpfs
5. Les Schtroumpfs et le Cracoucass
6. Le Cosmoschtroumpf
7. L'Apprenti Schtroumpf
8. Histoires de Schtroumpfs
9. Schtroumpf vert et Vert Schtroumpf
10. La Soupe aux Schtroumpfs

SIBYLLINE
macherot

3. Sibylline et les Abeilles
4. Sibylline et le petit Cirque
5. Sibylline s'envole
6. Sibylline et les Cravates noires

SOPHIE
jidéhem

8. Les Bonheurs de Sophie (2e série)
9. Sophie et la Tiare de Matlotl Halatomatl
10. Sophie et le Douanier Rousseau
11. Sophie et le Souffle du Dragon

les aventures de SPIROU
franquin

1. Quatre Aventures de Spirou et Fantasio
2. Il y a un Sorcier à Champignac
3. Les Chapeaux Noirs
4. Spirou et les Héritiers
5. Les Voleurs de Marsupilami
6. La Corne de Rhinocéros
7. Le Dictateur et le Champignon

8. La Mauvaise Tête
9. Le Repaire de la Murène
10. Les Pirates du Silence
11. Le Gorille a bonne mine
12. Le Nid des Marsupilamis
13. Le Voyageur du Mésozoïque
14. Le Prisonnier du Bouddha
15. Z comme Zorglub
16. L'Ombre du « Z »
17. Spirou et les Hommes-Bulles
18. QRN sur Bretzelburg
19. Panade à Champignac
24. Tembo Tabou
Péchés de jeunesse N. 1 L'Héritage
Péchés de jeunesse N. 2 Radar le robot

fournier

20. Le Faiseur d'Or
21. Du Glucose pour Noémie
22. L'Abbaye truquée
23. Toratorapa
25. Le Gri-Gri du Niokolo-Koba
26. Du Cidre pour les Etoiles

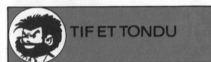

TIF ET TONDU

will·rosy

4. Tif et Tondu contre la Main Blanche
5. Le Retour de Choc
6. Passez Muscade
7. Plein Gaz
8. La Villa du Long-Cri
9. Choc au Louvre
10. Les Flèches de nulle part
11. La Poupée ridicule
12. Le Réveil de Toar
13. Le Grand Combat
14. La Matière verte

will·tillieux

20. Les Ressuscités
21. Le Scaphandrier mort
22. Un Plan démoniaque
23. Tif et Tondu à New York
24. Aventure Birmane

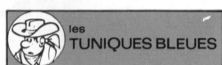

les TUNIQUES BLEUES

salverius·cauvin

1. Un Chariot dans l'Ouest
2. Du Nord au Sud
3. Et pour 1.500 $ en plus
4. Outlaw
9. La Grande Patrouille
10. Des Bleus et des Tuniques

lambil·cauvin

5. Les Déserteurs
6. La Prison de Robertsonville
7. Les Bleus de la Marine
8. Les Cavaliers du Ciel
11. Des Bleus en noir et blanc

VIEUX NICK
remacle

5. Les Mutinés de la « Sémillante »
17. Barbe-Noire joue et perd
18. Le Feu de la Colère
19. Sous la Griffe de Lucifer
20. Les nouvelles mésaventures de Barbe-Noire

YOKO TSUNO
leloup

1. Le Trio de l'Etrange
2. L'Orgue du Diable
3. La Forge de Vulcain
4. Aventures électroniques
5. Message pour l'Eternité
6. Les 3 Soleils de Vinéa